CW00739570

EAST RIVER FERRY

GUÍA DE CIUDADES

UN VIAJE POR 30 MARAVILLAS DEL MUNDO

Para mi amigo Archie para que cuando ~~viajes~~ viajes piensen en la familia Martinez.

Bea ♡

Nora ♡

Luis

Néstor

Índice

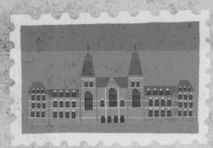

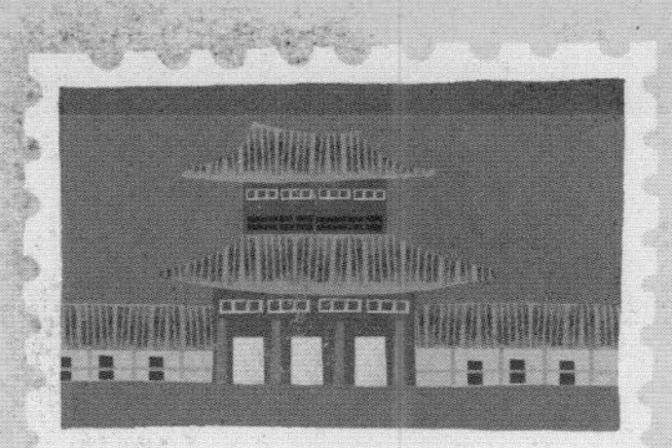

LISBOA

Famosa por sus pasteles de nata, Lisboa es la vibrante capital de Portugal. Se extiende sobre siete colinas y es incluso más antigua que Roma. Súbete a uno de sus tranvías amarillos, visita sus numerosas iglesias y disfruta de sus rocosas playas.

Encuentra 5 GALLOS.

País: PORTUGAL
Lengua: PORTUGUÉS
Población: 550.000

Piérdete en el bosque encantado del JARDÍN ZOOLÓGICO.

Busca un halcón gigante en la FUNDACIÓN CALOUSTE GULBENKIAN.

Descubre una estatua escondida en los jardines de ESTUFA FRIA.

Diviértete en los tipis del parque recreativo ALTO DA SERAFINA.

Visita el Parlamento portugués en el PALACIO DE SAN BENITO.

Chúpate los dedos con los deliciosos PASTELES DE BELÉM.

Tómate un descanso en la BASÍLICA DE LA ESTRELLA.

Aprende a surfear en las PLAYAS DE CASCAIS.

Espera la llegada de los barcos a puerto en el MUELLE DE ALCÂNTARA.

No te pierdas la historia marítima portuguesa en el MUSEO DE LA MARINA.

RÍO TAJO

Visita la plaza de toros
de CAMPO PEQUEÑO.
Vive en directo los conciertos
del PARQUE DA BELA VISTA.
Cruza el PUENTE
VASCO DA GAMA,
el más largo
de Europa.
Duerme con los peces
en el OCEANARIUM.
Disfruta de la naturaleza en los jardines
de la ALAMEDA DOM AFONSO HENRIQUES.
Echa un ojo a las pinturas
murales del BARRIO SALDANHA.
Interactúa con la ciencia
y la tecnología en el Pabellón
del Conocimiento de CIENCIA VIVA.
Móntate
en el funicular
ELEVADOR
DA GLÓRIA.
Contempla las vistas
desde la cúpula
del PANTEÓN NACIONAL
DE SANTA ENGRACIA.
Haz una foto
de las CASAS
DE AZULEJOS.
Olá
Asalta las fortificaciones
del CASTILLO morisco
DE SAN JORGE.
Pasea
por la PLAZA
DEL COMERCIO.
Disfruta del arte contemporáneo
en el MUSEO DE CHIADO.
Cruza
el RÍO TAJO
en barco.

Hola
Date un paseo por el fantástico parque de Gaudí, el PARK GÜELL.
Deléitate con unos CHURROS CON CHOCOLATE.
Sube a la torre de la Natividad de la SAGRADA FAMILIA.
Pásate por la CASA BATLLÓ, otra obra maestra de Gaudí.
Disfruta del espectáculo en el teatro museo EL REI DE LA MÀGIA.
Enamórate del FLAMENCO, un tipo de baile y música tradicional de España.
Haz una parada en el MACBA, el Museo de Arte Contemporáneo de Barcelona.
Acércate a ver a los artistas callejeros en LA RAMBLA.
Admira las obras maestras del PARQUE DE JOAN MIRÓ.
¡Date un festín de PAELLA!
Duérmete una buena SIESTA con el sonido del mar de fondo.
Visita el famoso estadio del FC Barcelona, el CAMP NOU.
Haz amistad con el GATO DEL RAVAL, una escultura de Fernando Botero.
¡BARCOS A LA VISTA! Mira cómo llegan los barcos a puerto.
No te pierdas el espectáculo de la FUENTE MÁGICA DE MONTJUÏC.
Sube al CASTILLO DE MONTJUÏC en teleférico.

BARCELONA
Esta ciudad, situada a orillas del mar, es la segunda más grande de España y la capital de la comunidad autónoma de Cataluña. Relájate y disfruta de su clima cálido, busca el gato del Raval, prueba el delicioso pan amb tomàquet y pasea por los alrededores de la Sagrada Familia, diseñada por el arquitecto Antoni Gaudí.
Encuentra 5 TOROS.
País: ESPAÑA
Lenguas: CATALÁN Y CASTELLANO
Población: 1,6 MILLONES
Atraviesa el ARCO DEL TRIUNFO, ¡y canta victoria!
Visita el zoo de Barcelona en el PARQUE DE LA CIUTADELLA.
Elige tu cuadro favorito en el MUSEO PICASSO.
Localiza la escultura del gran PEZ DORADO de Frank Gehry.
Descubre tu lado más gótico en la CATEDRAL DE BARCELONA.
Recorre las callejuelas del BARRIO GÓTICO y prueba las deliciosas TAPAS.
Tómate un helado en el PASEO MARÍTIMO lleno de palmeras.
Resérvate un día para tomar el sol en la PLAYA.
Disfruta de una noche estrellada al aire libre en el CINEMA LLIURE.
MAR MEDITERRÁNEO

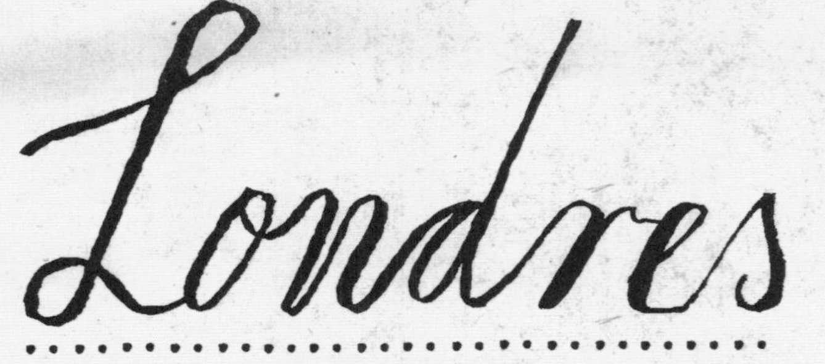

La capital inglesa es conocida por sus sinuosas calles y sus autobuses rojos. Móntate en uno de ellos y averigua todo lo que pasa en esta bulliciosa ciudad. Investiga a fondo su laberinto cultural y tómate un descanso en el Canal de Regent.

Encuentra 5 AUTOBUSES.

País: REINO UNIDO
Lengua: INGLÉS
Población: 8,3 MILLONES

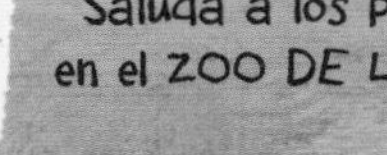

Explora el CANAL DE REGENT en barco.

Saluda a los pingüinos en el ZOO DE LONDRES.

Diviértete en las pistas de skate de BAYSIXTY6.

Visita la casa de Sherlock Holmes en el 221B de BAKER STREET.

Vete de compras a OXFORD STREET.

Regatea en el MERCADILLO DE PORTOBELLO.

Juega a los piratas en el PARQUE DEL MONUMENTO A DIANA.

Alquila un patín de agua en el LAGO SERPENTINE.

Mira la en el BIG

Pasa la Noche de los Museos en el MUSEO DE CIENCIAS.

Acércate a ver el cambio de guardia en el PALACIO DE BUCKINGHAM.

Diviértete como nunca en los JARDINES KEW.

Visita a los dinosaurios en el MUSEO DE HISTORIA NATURAL.

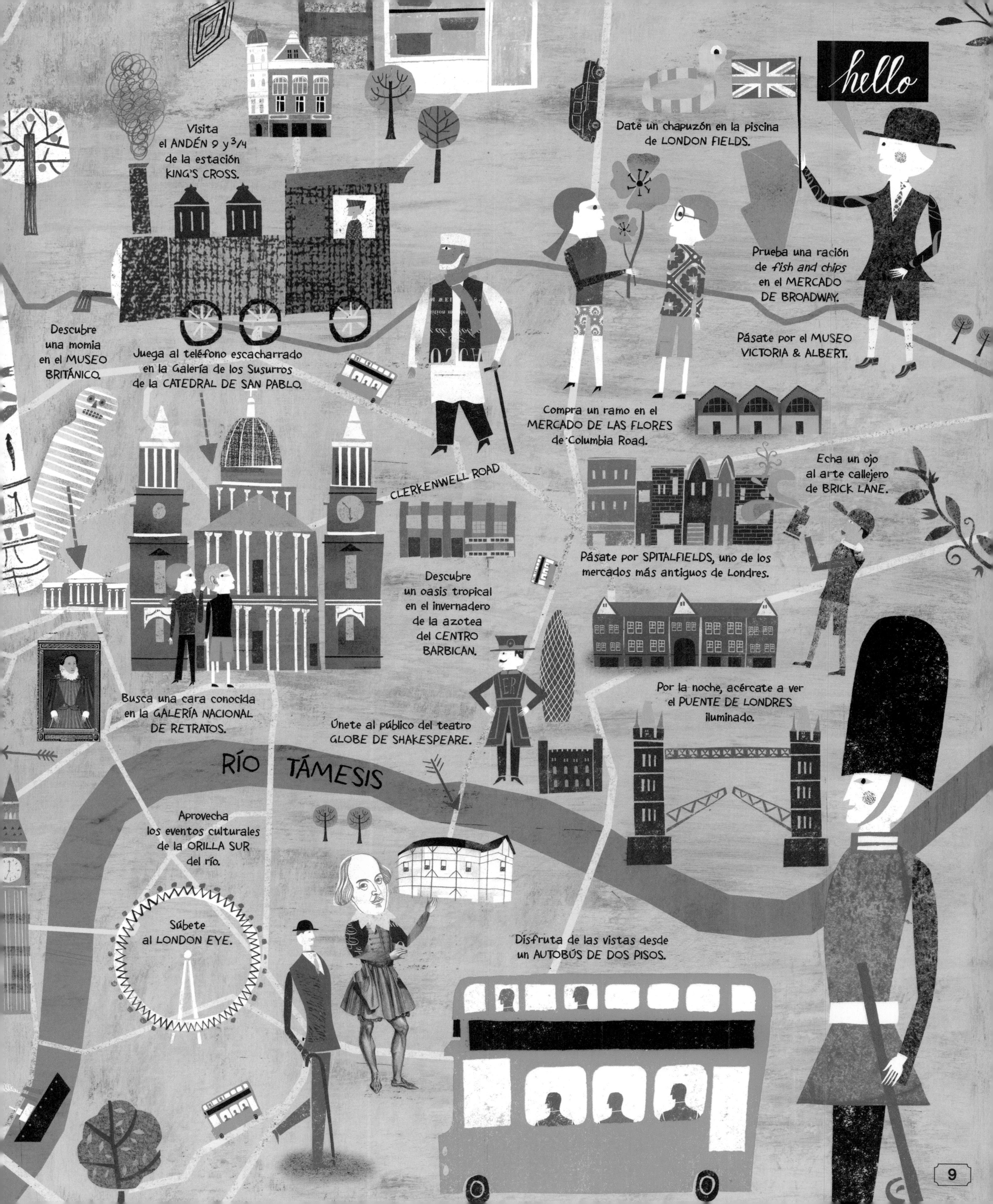
hello
Visita
el ANDÉN 9 y 3/4
de la estación
KING'S CROSS.
Date un chapuzón en la piscina
de LONDON FIELDS.
Prueba una ración
de fish and chips
en el MERCADO
DE BROADWAY.
Descubre
una momia
en el MUSEO
BRITÁNICO.
Juega al teléfono escacharrado
en la Galería de los Susurros
de la CATEDRAL DE SAN PABLO.
Pásate por el MUSEO
VICTORIA & ALBERT.
Compra un ramo en el
MERCADO DE LAS FLORES
de Columbia Road.
Echa un ojo
al arte callejero
de BRICK LANE.
CLERKENWELL ROAD
Pásate por SPITALFIELDS, uno de los
mercados más antiguos de Londres.
Descubre
un oasis tropical
en el invernadero
de la azotea
del CENTRO
BARBICAN.
Busca una cara conocida
en la GALERÍA NACIONAL
DE RETRATOS.
Por la noche, acércate a ver
el PUENTE DE LONDRES
iluminado.
Únete al público del teatro
GLOBE DE SHAKESPEARE.
RÍO TÁMESIS
Aprovecha
los eventos culturales
de la ORILLA SUR
del río.
Súbete
al LONDON EYE.
Disfruta de las vistas desde
un AUTOBÚS DE DOS PISOS.

AMSTERDAM

Amsterdam es la capital del Reino de los Países Bajos y cuenta con más de cien kilómetros de canales. También tiene más museos por metro cuadrado que cualquier otra ciudad. ¿Y sabes lo más curioso? Aquí hay más bicis que habitantes, así que... ¡ponte el casco y pedalea!

Encuentra 5 BARCOS.

País: PAÍSES BAJOS
Lengua: NEERLANDÉS
Población: 800.000

Admira la flor más representativa del país en el MUSEO DEL TULIPÁN DE AMSTERDAM.

Visita la CASA DE ANA FRANK, el lugar donde se escondió durante la Segunda Guerra Mundial.

Siéntete parte de la realeza en el PALACIO REAL y sus jardines.

Explora los CANALES en barco.

Prueba la TARTA DE MELOCOTÓN, típica del país.

Sorpréndete con los impresionantes números del CIRCO ELLEBOOG.

Echa un ojo al programa infantil de teatro en el JEUGDTHEATER DE KRAKELING.

Encuentra tu flor favorita en el MERCADO DE FLORES.

Viaja por la ciudad en un TRANVÍA azul y blanco.

Dale la vuelta a tus tortitas en el café KINDERKOOKKAFÉ.

Visita el MUSEO DE VAN GOGH.

Descubre el cuadro "Hombre cuadrado" en el RIJKSMUSEUM.

Diviértete en las fuentes de la entrada al museo.

Tómate un descanso en el parque VONDELPARK.

No te pierdas un concierto gratuito de música clásica en la sala del CONCERTGEBOUW.

ita el BARCO
: LOS GATOS,
un refugio
para gatos
callejeros.
Date una vuelta por la ESTACIÓN
CENTRAL DE AMSTERDAM.
Descubre la iglesia secreta
en el MUSEO DE NUESTRO
SEÑOR EN EL ÁTICO.
Admira
la edad de oro
neerlandesa
en la CASA-MUSEO
DE REMBRANDT.
Alquila una BICI
y explora
la ciudad.
RÍO IJ
Investiga la vida extraterrestre
en el CENTRO DE LA CIENCIA NEMO.
NEMO
Hallo
Descubre los nenúfares
gigantes del jardín botánico
HORTUS BOTANICUS.
Diviértete
con los animales
del ZOOLÓGICO
REAL ARTIS.
Participa en un taller para niños
en el MUSEO HERMITAGE DE AMSTERDAM.
RÍO AMSTEL
Cruza el río
Amstel a través
del MAGERE BRUG,
o Puente Delgado.
Juega al escondite
en el parque OOSTERPARK.
Prueba los famosos
QUESOS NEERLANDESES:
Edam, Gouda y Leyden.

No te pierdas
el PARQUE MONCEAU.
Salut
Visita el ARCO
DE TRIUNFO.
Explora
la ciudad
en BICI.
Observa a los artistas
callejeros en la avenida
de los CAMPOS ELÍSEOS.
Deja
barquitos
de papel
en las fuent
del JARDÍN D
LAS TULLERÍ
Observa
el techo de cristal
del GRAN PALACIO.
Pasea entre
los árboles
del BOSQUE
DE BOULOGNE.
RÍO SENA
Compra
una BAGUETTE
en una panadería.
Sumérgete
en el mundo
subacuático
del ACUARIO.
Admira el arte
del MUSEO
DE ORSAY.
Súbete
a la
TORRE
EIFFEL.
Visita la TUMBA
DE NAPOLEÓN.
Caza fantasmas
en las CATACUMBAS
de París.

París

Conocida como la «ciudad de las luces», la capital francesa es famosa por su cultura, sus catedrales y su exquisita cocina. Enamórate de esta romántica ciudad y no te pierdas las especialidades galas: ¡ancas de ranas y caracoles!

Encuentra 5 QUESOS.

País: FRANCIA
Lengua: FRANCÉS
Población: 2,3 MILLONES

Organiza un pícnic
en el CANAL
SAINT-MARTIN.
Prueba los caracoles
en el restaurante
BRASSERIE FLO.
Codéate con las estrellas
en la ÓPERA DE PARÍS.
Asiste a una
de las funciones de
la ÓPERA COMIQUE.
ANGELINA
Explora los jardines del PALACIO REAL.
Alquila una bici en el nº 13
de la RUE BRANTÔME.
Merodea
por el MUSEO
DE LA CAZA
Y LA NATURALEZA.
Visita la galería de los niños
en el CENTRO POMPIDOU.
Conoce
a la Mona Lisa
en el MUSEO
DEL LOUVRE.
En verano, toma el sol
en las playas artificiales del río Sena.
Pásate
por la ÎLE
DE LA CITÉ
y el mercado
de flores de la isla.
Retrocede en el tiempo
en el MUSEO CARNAVALET.
Pasea por las calles adoquinadas
de SAINT-GERMAIN-DES-PRÉS.
Visita la casa
de Quasimodo,
la CATEDRAL
DE NOTRE DAME.
Aprende
más de un truco
en el MUSEO
DE MAGIA.
No te pierdas
un espectáculo de títeres
en el JARDÍN DE LUXEMBURGO.
Cómprate un bonito recuerdo
en la RUE MOUFFETARD.
Diviértete
con los animales
del JARDÍN DE PLANTAS.

Apúntate a la Escuela de Gladiadores del GRUPO HISTÓRICO DE ROMA.

No te pierdas el EXPLORA, el museo de ciencia e historia para niños.

Pásate por la plaza del pueblo, la PIAZZA DEL POPOLO.

Visita el VATICANO, una ciudad dentro de otra y el hogar del Papa.

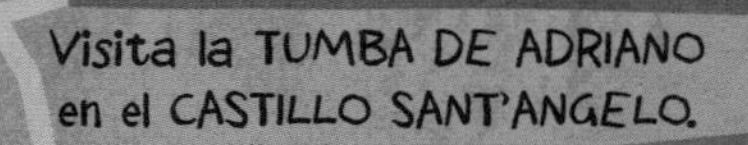
Visita la TUMBA DE ADRIANO en el CASTILLO SANT'ANGELO.

Contempla el techo de la CAPILLA SIXTINA.

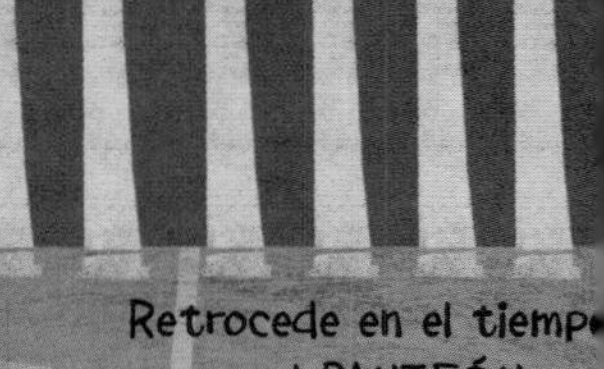
M·AGRIPPA·L·F·COSTERTIUM

Disfruta de las actuaciones musicales en la PIAZZA NAVONA.

Admira los mosaicos del PALACIO BRASCHI.

RÍO TÍBER

Busca inspiración en los inventos de LEONARDO DA VINCI.

Retrocede en el tiempo en el PANTEÓN.

Reserva una mesa en la ISLA TIBERINA.

ROMA

Roma ha estado habitada durante más de 2.500 años, por eso también se la conoce como la «ciudad eterna». Se trata de un lugar fantástico para explorar ruinas antiguas y probar helados de todos los sabores habidos y por haber, ¡toda una especialidad italiana! Cuando a Roma fueres...

Encuentra 5 TROZOS DE PIZZA.

País: ITALIA
Lengua: ITALIANO
Población: 2,7 MILLONES

Ciao

Coge una porción de PIZZA para llevar.

Haz una escapada
a la VILLA BORGHESE.
Date
una vuelta
en BICI
por el parque.
Échate una siesta
en el BIOPARCO DE ROMA,
el jardín zoológico.
Siéntate en las escalinatas
de la PIAZZA DI SPAGNA.
Lanza una moneda
a la FONTANA DI TREVI.
Investiga
las antiguas ruinas
del FORO ROMANO.
S·P·Q·R
No te pierdas el COLISEO,
el anfiteatro flavio de Roma.
Visita las excavaciones
de SAN CLEMENTE.
Visita
el CIRCUS MAXIMUS,
donde se organizaban
carreras de carros.
Explora los antiguos
templos abandonados
de VILLA CELIMONTANA.
Tómate un GELATO,
un delicioso helado italiano.
¡Prueba una pizza
en el restaurante SFORNO!

Berlín

Aquí vivió el famoso físico Albert Einstein entre 1914 y 1932. Explora los numerosos museos y monumentos de la capital de Alemania y no te pierdas los puntos históricos más importantes, como el paso fronterizo Checkpoint Charlie, donde en otra época se levantaba el Muro de Berlín.

Encuentra 5 BERLINAS.

País: ALEMANIA
Lengua: ALEMÁN
Población: 3,5 MILLONES

Recorre la AGUAS NAVEGABLES en canoa.

Acércate al PARQUE FRITZ-SCHLOSS.

Haz una parada en la estación central de trenes HAUPTBAHNHOF.

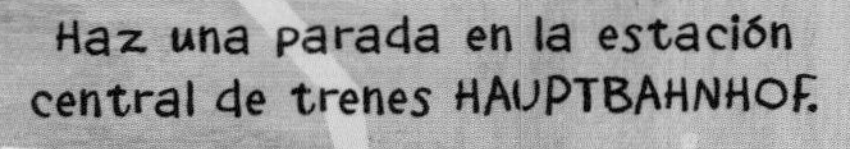

Recorre la ciudad en el BUS N.º 100.

Hallo

Contempla la ciudad desde el parlamento: el REICHSTAG.

Visita el MONUMENTO AL HOLOCAUSTO.

Atraviesa la PUERTA DE BRANDENBURGO.

Date una vuelta por el PARQUE TIERGARTEN.

Reservate una tarde para LEGOLANDIA.

Entra al ZOO DE BERLÍN por la Puerta de los Elefantes.

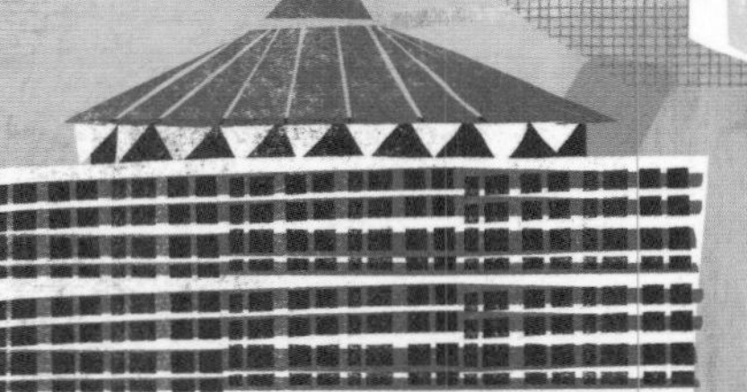

Ten cuidado con las plantas del JARDÍN BOTÁNICO BERLÍN-DAHLEM.

Da alas a tus ideas en el MUSEO ALEMÁN DE TECNOLOGÍA.

Haz el payaso en el JUXIRKUS, el circo más antiguo de la ciudad.

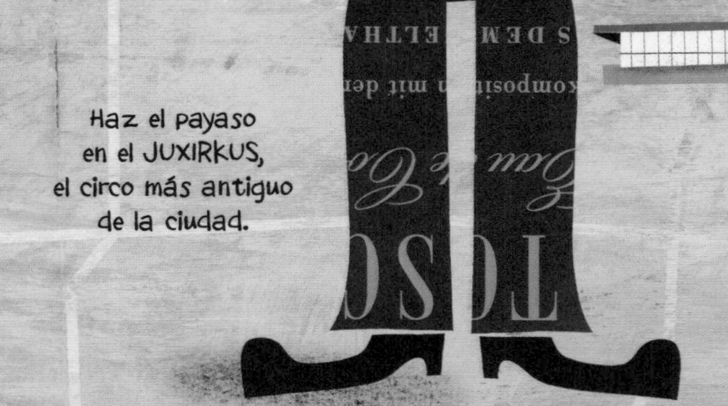

Explora el mundo subterráneo de Berlín con un tour UNTERWELTEN.
Visita el paraíso de los ositos de gominola: BÄRENLAND.
Prueba una salchicha CURRYWURST, típica de Berlín.
Ponte manos a la obra en el MUSEO MACHmit! para niños.
Busca cómo llegar al MEMORIAL DEL MURO DE BERLÍN.
ERICH
ACHTUNG
SNAKE
YOU
ROB
ICH LIEBE DICH
Descubre un dinosaurio en el MUSEO DE HISTORIA NATURAL.
Busca a los HOMBRECILLOS DEL SEMÁFORO en la zona este de la ciudad.
Conoce a la reina egipcia Nefertiti en el NEUES MUSEUM, el Museo Nuevo.
Cómprate una salchicha BRATWURST en la plaza ALEXANDERPLATZ.
RÍO SPREE
Come en el mirador de la TORRE DE TELEVISIÓN DE BERLÍN.
Admira la CATEDRAL DE BERLÍN.
Visita la sede del gobierno local en el ROTES RATHAUS, el AYUNTAMIENTO ROJO.
Escucha las campanadas de la IGLESIA FRANCESA DE FRIEDRICHSTADT.
Pásate por el CHECKPOINT CHARLIE.
Tómate tu tiempo para visitar el MUSEO JUDÍO.
ICH BIN EIN BERLINER
Saca tu lado creativo en el taller para niños de LA BASTELLERIE.

Diviértete en el PARQUE DE ATRACCIONES DE LINNANMÄKI.
Vive una experiencia tropical en el JARDÍN DE INVIERNO DE TÖÖLÖ.
Tumba unos cuantos bolos en la BOLERA RUUSULA.
Acércate a ver el Monumento de Hierro en el PARQUE SIBELIUS.
Participa en las hogueras de la noche de San Juan en la ISLA DE SEURASAARI.
Ojea el programa del CENTRO DE MÚSICA DE HELSINKI.
Construye un castillo de arena en la PLAYA DE HIETARANTA.
Visita el MUSEO FINÉS DE HISTORIA NATURAL.
Prueba una especialidad de Laponia en el restaurante SAAGA.
Hei
Estira las piernas en el PARQUE SINEBRYCHOFF.
Explora la tranquila isla de PIHLAJASAARI.
GOLFO DE FINLANDIA

Cálzate los patines en la PISTA DE HIELO KALLION KENTTÄ.
No te pierdas un espectáculo de CIRKO, un circo de lo más moderno.
Admira la grandeza de la CATEDRAL DE HELSINKI.
Recarga las pilas en el JARDÍN BOTÁNICO DE KAISANIEMI.
Echa un vistazo a los FELINOS del Zoológico de Helsinki.
Visita el MUSEO DE ARTE ATENEUM.
Entra a la CATEDRAL USPENSKI.
Súbete a un ferry en el PUERTO DE HELSINKI.
Alquila una BICI para recorrer la ciudad.
Pásate a ver la última exposición del MUSEO DE DISEÑO.
Relájate en el PARQUE KAIVOPUISTO.
Disfruta de la naturaleza en el CENTRO NATURAL de HARAKKA.

Helsinki

Súbete a un ferry en el puerto de Helsinki y explora las bahías, ensenadas y pequeñas islas de los alrededores. Visita la capital de Finlandia en primavera, cuando hay más horas de sol, y encontrarás una ciudad costera llena de vida, espacios verdes y calles pintorescas.

Encuentra 5 RENOS.

País: FINLANDIA
Lengua: FINÉS
Población: 620.000

Date un chapuzón refrescante
en las piscinas exteriores
de FROGNERBADET.
Siente
como si reinaras
en el PALACIO REAL.
Muévete al ritmo
de los músicos
del PARQUE ST.
HANSHAUGEN.
Encuentra
las esculturas
del PARQUE VIGELAND.
Aprende sobre la cultura local
en el MUSEO NACIONAL
DE ARTE, ARQUITECTURA
Y DISEÑO.
Saborea
un SALMÓN NORUEGO
bien fresquito.
Retrocede
en el tiempo
en el MUSEO
NORUEGO
DE HISTORIA
CULTURAL.
Investiga a los ganadores
de premios Nobel
en el CENTRO NOBEL
DE LA PAZ.
Escoge una obra
de arte moderno
en el MUSEO
ASTRUP FEARNLEY.
No te pierdas una obra
en el TEATRO NACIONAL.
Quédate
sin palabras
en el MUSEO
DE BARCOS
VIKINGOS.
Zarpa en barco
desde el PUERTO
DE OSLO.
Contempla
los fiordos de
la FORTALEZ
DE AKERSHU
Escápate a pescar
al FIORDO DE OSLO.
Haz la ruta ciclista
de la PENÍNSULA
DE BYGDØY.
Date un chapuzón
en las aguas de la isla
de HOVEDØYA.
FIORDO
DE OSLO

Échate una siesta en el PARQUE KUBA.
Conoce a IDA, el fósil del primate más antiguo del mundo.
Hallo
Escucha las campanadas de la CATEDRAL DE OSLO.
Lleva tus gafas de natación para la PISCINA TØYENBADET.
Prueba un sabroso BOLLO DE CANELA.
Saluda al tigre de la ESTACIÓN CENTRAL DE OSLO.
Prueba el MULTEKREM, un postre noruego que lleva moras de los pantanos.
Vete a ver un ballet a la OPERAHUSET, la ópera de Oslo.
OSLO
La capital de Noruega es conocida como la «tierra del sol de medianoche», ya que sus días son muy largos en verano. No lo dudes: aprende a esquiar, cálzate los patines o pesca en el fiordo de Oslo. ¡Y no olvides tomarte un chocolate caliente y un bollo de canela para entrar en calor!
Encuentra 5 VIKINGOS.
País: NORUEGA
Lengua: NORUEGO
Población: 630.000
Prueba el remo de pie llamado PADDLEBOARDING.

Copenhague

Se dice que Dinamarca es el país más feliz del mundo, y Copenhague es su capital. Famosa por sus lagos, esta ciudad también cuenta con el segundo parque de atracciones más antiguo del mundo: los Jardines de Tivoli. Disfruta de los bollos daneses y visita a su famosa sirenita.

Encuentra 5 CICLISTAS.

País: DINAMARCA
Lengua: DANÉS
Población: 1,2 MILLONES

Chapotea en el parque acuático de FÆLLEDPARKEN.

Demuestra tus habilidades en las pistas de skate de FÆLLEDPARKEN.

Hej

Escoge tu cuadro favorito en el MUSEO STATENS para niños.

Alimenta a los patos en uno de los LAGOS.

No te pierdas el hermoso JARDÍN BOTÁNICO.

Conoce al famoso astrónomo de Copenhague: TYCHO BRAHE.

Prueba las exquisiteces del MERCADO TORVEHALLERNE.

Observa las aves de la FUENTE DE LAS CIGÜEÑAS.

Mira las estrellas en el PLANETARIO TYCHO BRAHE.

Admira el reloj universal del AYUNTAMIENTO DE COPENHAGUE.

Visita la sede del Parlamento danés en el PALACIO DE CHRISTIANSBORG.

Entra en el MUSEO DE LOS NIÑOS.

Móntate en la montaña rusa en los JARDINES DE TIVOLI.

Haz una foto a un oso polar en el ZOO DE COPENHAGUE.

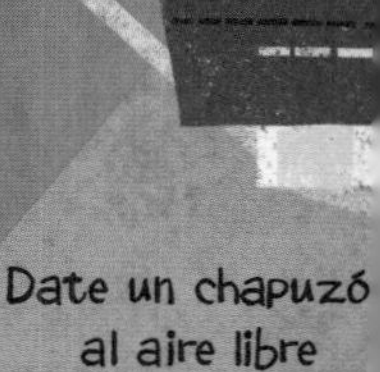

Date un chapuzón al aire libre en las PISCINAS DEL PUERTO.

ESTRECHO
DEL SUND
Elige tu BOLLO
DANÉS favorito.
Conoce
a la SIRENITA.
Explora el KASTELLET,
una fortaleza con forma
de estrella y rodeada de agua.
Pásate a ver la exposición
de artesanía decorativa
en el MUSEO DANÉS
DE ARTE Y DISEÑO.
Prueba las deliciosas
tostas danesas
llamadas SMØRREBRØD.
Disfruta de la arquitectura rococó
del PALACIO DE AMALIENBORG.
Alucina con
REDERIKS KIRKE,
conocida como
la iglesia
de mármol.
Aguza el oído en la ÓPERA
DE COPENHAGUE.
Busca fósiles
en el centro de ciencias
EXPERIMENTARIUM CITY.
Juega a los piratas
en la PLAYA
DE AMAGER.
Pásate por la biblioteca real,
el DIAMANTE NEGRO.
Explora
el magnífico
acuario
de la ciudad,
el PLANETA
AZUL.
Sube al capitel dorado de la IGLESIA
DE NUESTRO SALVADOR.

Estocolmo

La ecológica ciudad de Estocolmo se extiende a lo largo de catorce islas. Los vikingos habitaron estas tierras entre los años 800 y 1100 y, desde entonces, la ciudad siempre ha contado con una rica historia náutica. Aprenderás esto y mucho más... ¡en el Museo Vasa!

Encuentra 5 CORONAS.

País: SUECIA
Lengua: SUECO
Población: 900.000

Prueba los dulces suecos, llamados GODIS.
Valora el arte de las ESTACIONES DE METRO de Estocolmo.
Descubre las joy de la corona en el PALACIO RE
Asiste a una obra de teatro del siglo XVIII en el PALACIO DROTTNINGHOLM.
Siéntete importante mientras bajas las escaleras del AYUNTAMIENTO DE ESTOCOLMO.
Paséate por el salón de la fama de los premios Nobel en el MUSEO NOBEL.
Hey
BAHÍA DE RIDDARFJÄRDEN
Visita la vieja ciudad medieval de Estocolmo: GAMLA STAN.
Date un baño en las PLAYAS DE LÅNGHOLMEN.
Tómate un PEPINILLO... o dos.

Salta a la piscina
al aire libre
de KAMPEMENTSBADET.
Diviértete en una excursión
sobre la historia de los VIKINGOS.
Haz el mono
en el REAL
JARDÍN GÄRDET.
Saborea un plato
de ALBÓNDIGAS SUECAS.
Disfruta de una noche
en el TEKNISKA MUSEET,
el MUSEO NACIONAL
DE CIENCIA Y TECNOLOGÍA.
BAHÍA DE
DJURGÅRDSBRUNN
Conoce a Pippi Calzaslargas
en la VILLA VILLEKULLA.
Descubre el misterioso
barco fantasma del siglo XVII
en el MUSEO VASA.
Vive una aventura
en el parque tropical del museo
AQUARIA VATTENMUSEUM.
Visita el jardín
botánico
ROSENDALS
TRÄDGÅRD.
Pásatelo bomba
en el REAL JARDÍN
DJURGÅRDEN.
Haz amigos en la GRANJA
DE ANIMALES DE SKANSEN.
Celebra la NOCHE DE LAS BRUJAS
en el festival de primavera
de VALBORG.
Absorbe arte moderno
en el MODERNA MUSEET.
No te pierdas
el MUSEO ABBA.
Pasa un día mágico
en el parque de atracciones
GRÖNA LUND.
BAHÍA DE
WALDEMAR
Explora las islas
en BARCO.
Contempla la ciudad
esde una de las burbujas
e cristal de la atracción
SKYVIEW.
Prueba
el ARENQUE FRITO
fermentado.

Atenas

Atenas es una de las ciudades más antiguas del mundo, de ahí que a menudo se haga referencia a ella como la cuna de la civilización occidental. Se trata de un lugar perfecto para explorar yacimientos históricos y probar las deliciosas ensaladas griegas y los dulces baklavas bañados en almíbar.

Encuentra 5 MEDALLAS DE ORO.

País: GRECIA
Lengua: GRIEGO
Población: 700.000

Ábrete camino hasta el MUSEO HELENO DEL MOTOR.
Los filósofos SÓCRATES Y ARISTÓTELES vivieron en la antigua Atenas.
Súbete a la montaña rusa del ALLOU! FUN PARK.
Viaja a la antigua Grecia con la FUNDACIÓN DEL MUNDO HELÉNICO.
Sorpréndete ante la belleza del MUSEO BENAKI de arte islámico.
Diviértete en el MUSEO HARIDIMOS DE TÍTERES DE SOMBRA.
Explora la antigua ciudadela: la ACRÓPOLIS DE ATENAS.
Descubre las luces de la ciudad dando un PASEO por Atenas de noche.
Conoce a los antiguos dioses griegos en el MUSEO DE LA ACRÓPOLIS.
Sube a la COLINA DE FILOPAPPOU, la colina de las musas.
Prueba una sabrosa MOUSSAKA en una taberna tradicional.
Recorre el barrio de ANAFIOTIKA.
ARES, el dios griego de la guerra.

Asiste a una clase
de la ESCUELA
DE COCINA GRIEGA.
Desentierra un tesoro
en el MUSEO
ARQUEOLÓGICO NACIONAL.
Sube a la cima
del MONTE LYCABETTUS
en teleférico.
Conoce a los animales
del PARQUE ZOOLÓGICO
ATTICA.
Busca inspiración
en la GALERÍA NACIONAL
DE ARTE.
Γεια σας
Acércate a ver
el cambio de guardia
en el PARLAMENTO GRIEGO.
Dedícale un día
a los JARDINES NACIONALES.
cubre los trajes tradicionales
en el MUSEO DE ARTE
FOLCLÓRICO GRIEGO.
Atraviesa
el ARCO
DE ADRIANO.
Admira la grandeza de la antigua
Grecia en el TEMPLO DE ZEUS.
ATENEA,
la diosa griega
de la guerra,
la sabiduría
y las artes.
POSEIDÓN,
el dios griego
del mar
y los océanos.
HERMES,
el mensajero
de los dioses
griegos.
ZEUS, el rey
de los dioses
griegos.

Descubre los aviones, trenes y automóviles del MUSEO RAHMI M. KOÇ y maravíllate en el PLANETARIO DISCOVERY SPHERE.
ESTANE
MISIR
Contempla el espectacular CUERNO DE ORO al atardecer.
Prueba los sabrosos KEBABS TURCOS.
Sube a la gigantesca TORRE GÁLATA.
Puente Gálata
Busca lámparas en el GRAN BAZAR.
Acércate a ver el OBELISCO EGIPCIO del faraón Tutmosis III.
Vive una aventura en YEDIKULE, la fortaleza de las SIETE TORRES.
Encuentra 5 OJOS AZULES.

Estambul

Esta ciudad se erigió por primera vez en la época bizantina: ¡hace más de 2.600 años! Charla con sus simpáticos habitantes y disfruta de las mejores vistas del Bósforo… ¡en barco!

País: TURQUÍA
Lengua: TURCO
Población: 3 MILLONES

Date un paseo
entre los árboles
del ARBORETUM ATATURK.
Visita los lugares de interés
de la PLAZA TAKSIM.
Retrocede en el tiempo
en un tranvía de la avenida
ISTIKLÂL CADDESI.
Haz una excursión
en barco
por el ESTRECHO
DEL BÓSFORO.
Merhaba
ESTRECHO
DEL
BÓSFORO
ISTANBUL MODERN
ESTAMBUL
MODERNO
Encuentra una obra maestra
en el MUSEO DE ARTE
MODERNO DE ESTAMBUL.
Participa en el festival
de arte y cultura ISTANBUL'74.
Escápate en barco
hasta la KIZ KULESI,
conocida como la TORRE
DE LA DONCELLA.
Móntate en un ferry
en dirección a las Islas
Príncipe, o ADALAR.
Descubre antiguos
objetos en los MUSEOS
ARQUEOLÓGICOS
DE ESTAMBUL.
Siéntete como un sultán
en el PALACIO TOPKAPI y sus jardines.
Explora
los alrededores
del PARQUE GÜLHANE.
Pide un deseo
en la CISTERNA
BASÍLICA.
Alucina con la magnífica MEZQUITA
DEL SULTÁN AHMED,
o MEZQUITA AZUL.
MUSEO SANTA SOFÍA

Saluda a los animales desde el telesilla del ZOO DE PRAGA.
Sube a la torre sur de la CATEDRAL DE SAN VITO.
Recorre la ciudad en el histórico TRANVÍA 91.
Compra entradas para un espectácu en el TEAT NACIONAL MARIONET.
Cuenta las estatuas del PUENTE DE CARLOS.
Alquila un par de patines cerca del CASTILLO DE PRAGA.
Sube los 300 escalones de la TORRE-MIRADOR DE PETŘÍN.
Móntate en el funicular para subir a la COLINA DE PETŘÍN.
Descubre la FUENTE DE KRANNER en el corazón del casco histórico.
RÍO MOLDAVA
Alimenta a los patos del ESTANQUE DE PETŘÍN.
Deléitate con una porción de KOLÁČ, un tipo de TARTA CHECA.
Ahoj
Disfruta de un día acuático dando un paseo en barco a lo largo del RÍO MOLDAVA.
Visita la CASA DANZANTE, conocida como Fred y Ginger.

Praga

Llena de castillos, puentes y catedrales, la romántica capital de la República Checa se convirtió en una de las principales ciudades de la Europa renacentista entre los siglos XIV y XVII. Sube a la catedral de San Vito, cuenta las estatuas del puente de Carlos y visita el reloj astronómico más antiguo del mundo.

Encuentra 5 BAILARINAS.

País: REPÚBLICA CHECA
Lengua: CHECO
Población: 1,2 MILLONES

Vuela una cometa en el PARQUE LETNÁ.
Cuenta las gárgolas de STARÉ MĚSTO, el casco histórico.
Mira la hora en el famoso RELOJ ASTRONÓMICO.
Apúntate a un tour sobre FANTASMAS Y LEYENDAS.
Aprende la historia del lugar en el MUSEO DE LA CIUDAD DE PRAGA.
No te pierdas las vistas desde la TORRE DE TELEVISIÓN ŽIŽKOV.
Móntate en un tren en la ESTACIÓN DE PRAGA.
Asiste a un espectáculo de mimos en el TEATRO NEGRO.
Pasea por la PLAZA DE WENCESLAO.
Sorprende a la sinfónica local tocando una pieza en el vestíbulo del MUSEO NACIONAL.
Admira la IGLESIA neogótica de SANTA LUDMILA.

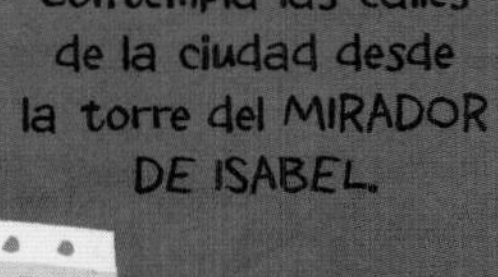

Contempla las calles de la ciudad desde la torre del MIRADOR DE ISABEL.

Toma el sol en el par de la ISLA MARGARI

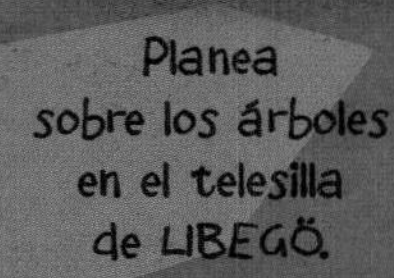

Planea sobre los árboles en el telesilla de LIBEGŐ.

Asiste al CONCIERTO NAVIDEÑO DE CHOCOLATE para niños.

Pasea por el DANUBIO azul.

No te pierdas las exhibiciones y los juegos del velódromo MILLENÁRIS.

Móntate en el TREN DE CREMALLERA de Budapest.

Lánzate a la aventura en las COLINAS DE BUDA.

Echa un vistazo al espectacular PUENTE DE LAS CADENAS.

Visita el BASTIÓN DE LOS PESCADORES.

Deléitate con una TARTA DE MANZANA.

Pasea la mirada por el CASTILLO DE BUDA.

Salta de rama en rama en el parque de aventuras CHALLENGELAND.

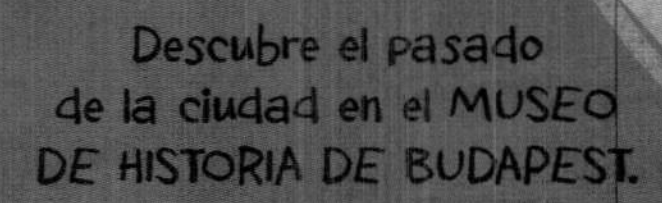

Descubre el pasado de la ciudad en el MUSEO DE HISTORIA DE BUDAPEST.

Zámpate un plato de GULASH, la especialidad del lugar.

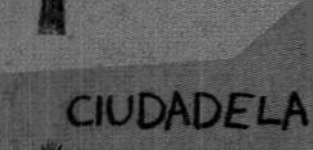

CIUDADELA

Budapest

La mágica capital de Hungría se convirtió en una única ciudad en 1873, cuando Buda y Óbuda, situadas en la orilla oeste del río Danubio, se unieron a Pest, ubicada en la orilla este. Aventúrate en sus colinas, zambúllete en los baños termales y déjate maravillar por sus hermosas edificaciones.

Encuentra 5 OLLAS DE GULASH.

País: HUNGRÍA
Lengua: HÚNGARO
Población: 1,7 MILLONES

Sube la colina Gellért hasta llegar a la CIUDADE

Descubre la fabulosa flora y fauna en el ZOO Y JARDÍN BOTÁNICO DE BUDAPEST.
Entra en calor en los BAÑOS TERMALES de SZÉCHENYI.
Pásate por la ESTACIÓN DE TRENES BUDAPEST-NYUGATI.
Cálzate los patines y salta a la PISTA DE HIELO del PARQUE DE LA CIUDAD.
Descubre los aviones, trenes y automóviles del MUSEO DEL TRANSPORTE.
Contempla las cúpulas del PARLAMENTO HÚNGARO a orillas del Danubio.
Szia
Descubre las antiguas fronteras siguiendo la MURALLA DE LA CIUDAD VIEJA.
Aprende sobre ESTEBAN I, el primer rey de Hungría.
Contempla las vistas panorámicas desde la BASÍLICA DE SAN ESTEBAN.
Apúntate a una visita guiada por el MUSEO DE ARTES APLICADAS.
RÍO DANUBIO
Prueba los cremosos rollitos de queso llamados SAJTOS ROLÓ.
Vete de compras a la BALLENA DE BUDAPEST.
Infórmate sobre las actividades musicales en el PALACIO DE LAS ARTES.
Aprende acerca del universo en el PLANETARIUM.

MOSCÚ

Moscú, la capital de Rusia, debe su nombre al río Moscova, que atraviesa la ciudad. Aquí podrás visitar la extravagante catedral de San Basilio, construida por Iván el Terrible en el siglo XVI. Eso sí: abrígate muy bien en invierno, ¡porque la temperatura media es de 10 °C bajo cero!

Encuentra 5 MATRIOSKAS.

País: RUSIA
Lengua: RUSO
Población: 12 MILLONES

Explora el EXPERIMENTARIUM, el museo interactivo de ciencias.
Patina sobre hielo en el CENTRO PANRUSO DE EXPOSICIONES.
Aprende sobre el emperador PEDRO EL GRANDE, que nació en Moscú en 1672.
Visita la extraordinaria ESTACIÓN DE METRO de MAYAKOVSKAYA.
Conoce a los osos del ZOO DE MOSCÚ.
Disfruta de la auténtica COCINA RUSA.
Explora los coloridos JARDINES DE ALEJANDRO.
Visita el magnífico METRO DE MOSCÚ.
Compra entradas para *Pedro y el lobo* en el TEATRO MUSICAL para niños de NATALIA SATS.
RÍO MOSCOVA
Quédate sin palabras ante las cúpulas doradas de la CATEDRAL DE CRISTO SALVADOR.
Súbete a la noria del PARQUE GORKY.

Hazte una idea
de la historia espacial
rusa en el MUSEO
DE LA COSMONÁUTICA.
CCCP
Привет
(Privet)
Asiste a una actuación
de ballet ruso en el famoso
TEATRO BOLSHOI.
PLAZA
ROJA
Descubre el KREMLIN,
una fortaleza dentro de la ciudad.
Busca inspiración
en las coloridas cúpulas
de la CATEDRAL DE SAN BASILIO.
Alucina con los números
del CIRCO ESTATAL
DE MOSCÚ.
Visita el MUSEO
DE LA GUERRA FRÍA ZKP TAGANSKY.
Apúntate
a una visita guiada
y explora la ciudad.
Enamórate del arte
de WASSILY KANDINSKY.

Montreal

Montreal se encuentra al este de Canadá y debe su nombre al Monte Real que domina la ciudad. Sus especialidades son los bagels, el sirope de arce y la mantequilla de cacahuete, que se inventó aquí... ¡en 1884! No te pierdas a los castores del Biodôme y visita el campamento espacial del Cosmodôme.

Encuentra 5 HOJAS DE ARCE.

País: CANADÁ
Lengua: FRANCÉS
Población: 1,7 MILLONES

Vístete de verde en el JARD BOTÁNICO DE MONTREAL

Disfruta de un partido de HOCKEY SOBRE HIELO en un bar local.

Apúntate al campamento espacial del COSMODÔME.

Llena la nevera del dulce y pegajoso SIROPE DE ARCE.

SIROPE DE ARCE

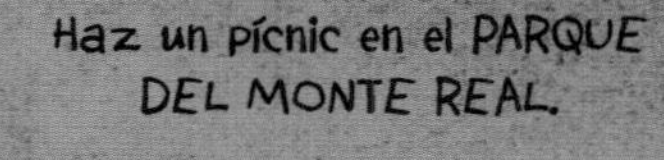
Haz un pícnic en el PARQUE DEL MONTE REAL.

Conoce a las momias del MUSEO REDPATH.

Monta en TRINEO en invierno.

Encuentra la escultura de la "Morsa" de Qumaluk en el MUSEO DE BELLAS ARTES DE MONTREAL.

Deléitate con un PASTELITO DE AZÚCAR Y MANTEQUILLA.

Sube los 283 escalones hasta el ORATORIO DE SAN JOSÉ.

Lánzate a la aventura en el BOSQUE SUMMIT.

Conoce
a los castores
del BIODÔME.
Pasea en barco
por el RÍO SAN LORENZO.
Relájate
en el PARQUE
LA FONTAINE.
Visita el OBSERVATORIO del ESTADIO OLÍMPICO.
POLICE
Monta en bici
alrededor del LAGO
DOLPHIN.
Diviértete
en el parque
de atracciones
LA RONDE.
RÍO SAN
LORENZO
Admira los fuegos
artificiales en la ISLA
DE SANTA ELENA.
Aprende sobre la historia
de la ciudad en la BIBLIOTECA
Y LOS ARCHIVOS NACIONALES
DE QUEBEC.
Comprueba tu huella
ecológica en el BIOSPHÈRE,
el museo del medio ambiente.
No te pierdas un cuentacuentos
en el TEATRO INFANTIL
del PALACIO DE ARTES.
Escucha el coro
de la BASÍLICA
DE NOTRE-DAME.
Aléjate del VIEJO
PUERTO de Montreal
en un patín de agua.
Prueba los mejores
BAGELS del mundo.
Pasa una experiencia
inolvidable en el CINE 3D
del CENTRO DE CIENCIAS.
Bonjour
Visita
las modernas
casas cúbicas
del HABITAT 67.
Disfruta de paz y tranquilidad dentro
de la CATEDRAL MARÍA REINA DEL MUNDO.

TORONTO

Toronto es el centro cultural de Canadá y la ciudad más grande del país. Visita su atracción más famosa, la Torre CN; practica su deporte nacional, el hockey sobre hielo, y prueba sus donuts, un dulce muy popular.

Encuentra 5 PERRITOS CALIENTES.

País: CANADÁ
Lengua: INGLÉS
Población: 2,7 MILLONES

Visita los centros DISCOVERY del MUSEO REAL DE ONTARIO.

Descubre infinitos tesoros en el MERCADO DE KENSINGTON.

Corretea por el HIGH PARK.

Vía Láctea

Devora uno de los famosos DONUTS de la ciudad.

Date un festín de pizza en el barrio italiano LITTLE ITALY.

Ríete a carcajadas en el FESTIVAL DE PAYASOS.

Sube a la TORRE CN en un ascensor acristalado.

Observa las aves marinas desde el PUERTO DE TORONTO.

HOT DOG
MENÚ

Prueba un auténtico menú callejero: hasta 2009, por ley, solo se podían vender PERRITOS CALIENTES en las calles de Toronto.

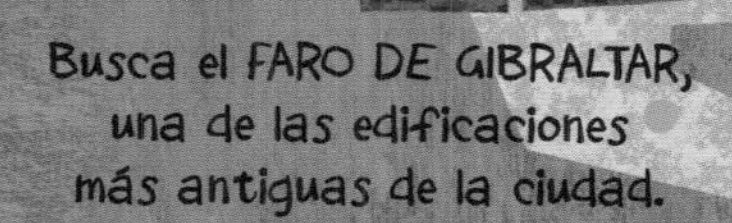

Busca el FARO DE GIBRALTAR, una de las edificaciones más antiguas de la ciudad.

Pásatelo genial
en el parque recreativo
RIVERDALE.
Toma el sol
en el complejo
BEACH BIA.
Explora
el histórico barrio
de CABBAGETOWN.
Saluda a los animales
de la GRANJA RIVERDALE,
al estilo del siglo XIX.
Patina sobre hielo
en la PLAZA
NATHAN PHILLIPS.
Localiza
el GOODERHAM,
un edificio triangular
de ladrillos rojos.
Camina por el SALÓN
E LA FAMA DEL HOCKEY.
Disfruta de una peli
a orillas del lago Ontario
en el CINE SAIL-IN.
1285
Hello
Apúntate a un partido
de voleibol en la playa
CHERRY BEACH.
N
W
E
S
Coge el ferry
para visitar
el PARQUE-ISLA
DE TORONTO.
LAGO
ONTARIO
Móntate en un cisne gigante
en el ESTANQUE del parque
de atracciones CENTREVILLE.

CHICAGO POLICE
Juega a los exploradores en los senderos del PARQUE LINCOLN.
No te pierdas una actuación musical en el ZOO del PARQUE LINCOLN.
Sigue el camino de baldosas amarillas en el PARQUE DE OZ.
PARQUE LINCOLN
Aprende a jugar al béisbol en el campo del PARQUE WICKER.
Cómete un PERRITO CALIENTE más grande que tu pie.
Visita el MUSEO DE HISTORIA DE CHICAGO.
Vuela una COMETA en la ciudad del viento.
Cocina tus propias pizzas al ESTILO DE CHICAGO.
Disfruta de una obra en el TEATRO DE NIÑOS DE CHICAGO.
Escucha algo de BLUES.
Alquila KAYAKS en el río.
Encuentra la escultura de PICASSO en el barrio CHICAGO LOOP.
Disfruta de las vistas desde el balcón vidriado de la TORRE WILLIS.
CHICAGO POLICE

CHICAGO

Conocida como la «ciudad del viento», Chicago es la cuna del boogie-woogie y el blues, además del hogar de Sue, ¡el tiranosaurio rex más grande del mundo! Alucina con las increíbles vistas de sus rascacielos, que convierten a esta ciudad en una de las principales metrópolis de EE.UU.

Encuentra 5 BALONES DE FÚTBOL AMERICANO.

País: ESTADOS UNIDOS
Lengua: INGLÉS
Población: 2,7 MILLONES

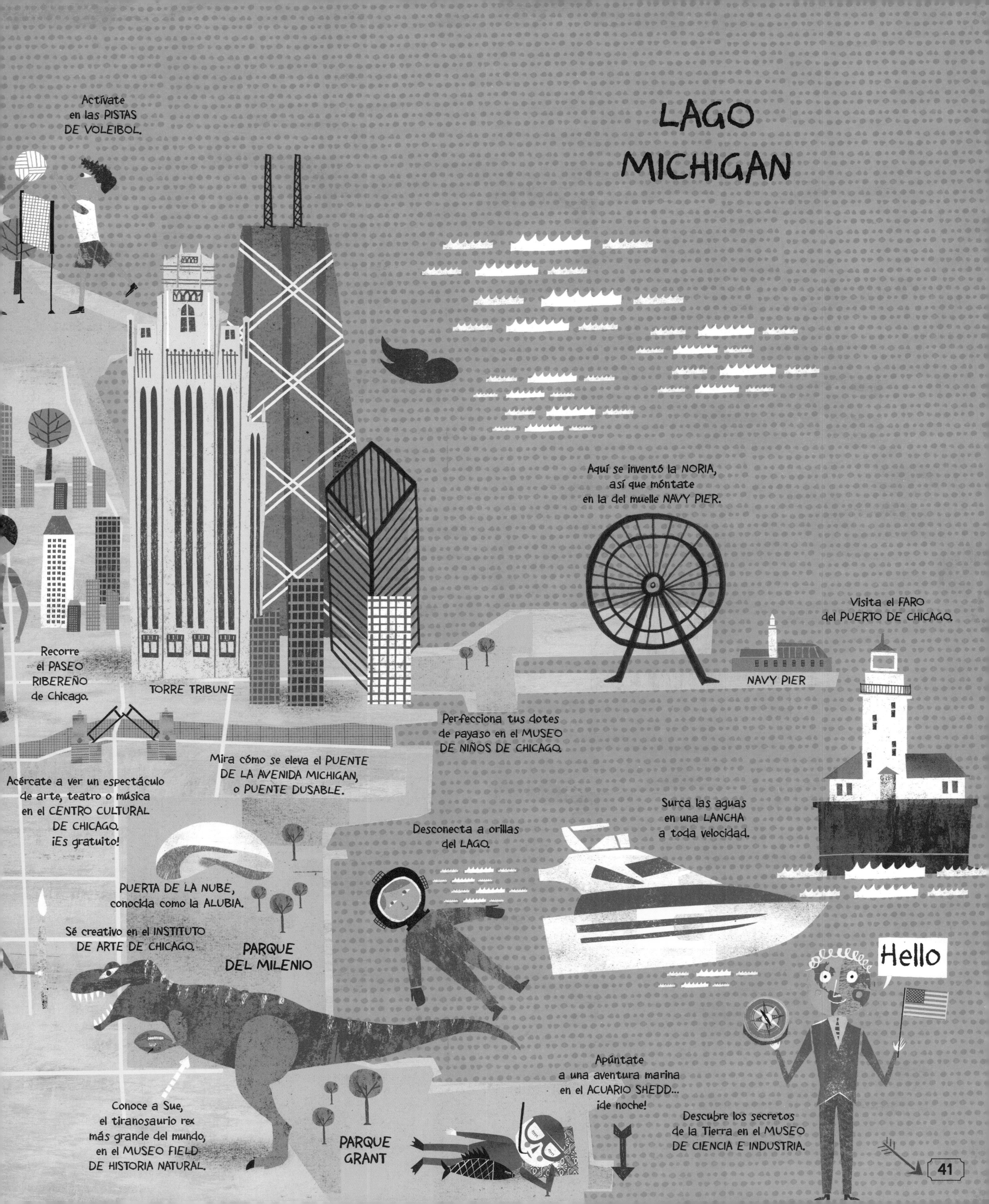

LAGO MICHIGAN
Actívate en las PISTAS DE VOLEIBOL.
Aquí se inventó la NORIA, así que móntate en la del muelle NAVY PIER.
Visita el FARO del PUERTO DE CHICAGO.
NAVY PIER
Recorre el PASEO RIBEREÑO de Chicago.
TORRE TRIBUNE
Perfecciona tus dotes de payaso en el MUSEO DE NIÑOS DE CHICAGO.
Mira cómo se eleva el PUENTE DE LA AVENIDA MICHIGAN, o PUENTE DUSABLE.
Acércate a ver un espectáculo de arte, teatro o música en el CENTRO CULTURAL DE CHICAGO. ¡Es gratuito!
Surca las aguas en una LANCHA a toda velocidad.
Desconecta a orillas del LAGO.
PUERTA DE LA NUBE, conocida como la ALUBIA.
Sé creativo en el INSTITUTO DE ARTE DE CHICAGO.
PARQUE DEL MILENIO
Hello
Apúntate a una aventura marina en el ACUARIO SHEDD... ¡de noche!
Conoce a Sue, el tiranosaurio rex más grande del mundo, en el MUSEO FIELD DE HISTORIA NATURAL.
PARQUE GRANT
Descubre los secretos de la Tierra en el MUSEO DE CIENCIA E INDUSTRIA.

Saluda desde la corona
de la ESTATUA DE LA LIBERTAD.
N408TD
RÍO HUDSON
Hi there!
Déjate contagiar
por el jazz en el barrio
GREENWICH VILLAGE.
Prepara
tus pinturas
en el MUSEO
DE ARTE
PARA NIÑOS.
No te pierdas
una actuación callejera
en el PARQUE WASHINGTON.
Trepa
a los columpios
en el MUELLE 25
del PARQUE
DEL RÍO HUDSON.
NYC TAXI
WALLSTREET JOURNAL
Escoge tu hamburguesa
preferida en el PAUL'S
DA BURGER JOINT.
Pasea
con tu perro
en el PARQUE
TOMPKINS.
Encuentra
la pizza perfecta
en el barrio LITTLE ITALY.
Visita los históricos
barcos del PUERTO
DE SOUTH STREET.
ELLIS ISLAND
Súbete al FERRY
DE STATEN ISLAND.
AMBROSE
PUENTE
DE BROOKLYN
Encuentra tu sabor
favorito en la FÁBRICA
DE HELADOS
DE BROOKLYN.
Súbete al Tío Vivo
de Jane en el PARQUE
DEL PUENTE
DE BROOKLYN.
Conviértete
en un superhéroe
en la empresa
BROOKLYN SUPERHERO.
Pasa un día
en el PARQUE
PROSPECT.
Plántate en el JARDÍN
BOTÁNICO DE BROOKLYN.

No te pierdas
la ÓPERA METROPOLITANA.
Investiga
los mamuts
en el MUSEO
DE HISTORIA
NATURAL.
CENTRAL
PARK
Disfruta del béisbol
en el ESTADIO
DE LOS YANKEES.
Recorre el CARRIL BICI
de la WEST SIDE HIGHWAY
a toda velocidad.
Camina como
un egipcio en el MUSEO
METROPOLITANO.
Busca al leopardo
de las nieves en el ZOO
DE CENTRAL PARK.
Modernízate
en el MUSEO GUGGENHEIM.
Deja tu huella
en un taller
del MOMA.
Vive tu versión
de Toy Story
en la juguetería
FAO SCHWARZ.
Explora el glamuroso barrio
de UPPER EAST SIDE.
ISLA
DE MANHATTAN
Pásate por la GRAN
ESTACIÓN CENTRAL.
Detente a admirar
el EDIFICIO CHRYSLER.
VEGETABLE
SOUP
RÍO ESTE
EAST RIVER FERRY
Prueba uno
de los mejores inventos
de Nueva York:
un PERRITO CALIENTE.
Date un chapuzón
en la PISCINA McCARREN.
BROOKLYN

NUEVA YORK

La ciudad más popular de EE. UU., también conocida como la «Gran Manzana» o la «jungla de asfalto», es un hervidero de actividad. Zámpate una de sus gigantescas hamburguesas y déjate fascinar por su emblemático horizonte de rascacielos.

Encuentra
5
TAXIS AMARILLOS.

País: ESTADOS UNIDOS
Lengua: INGLÉS
Población: 8,4 MILLONES

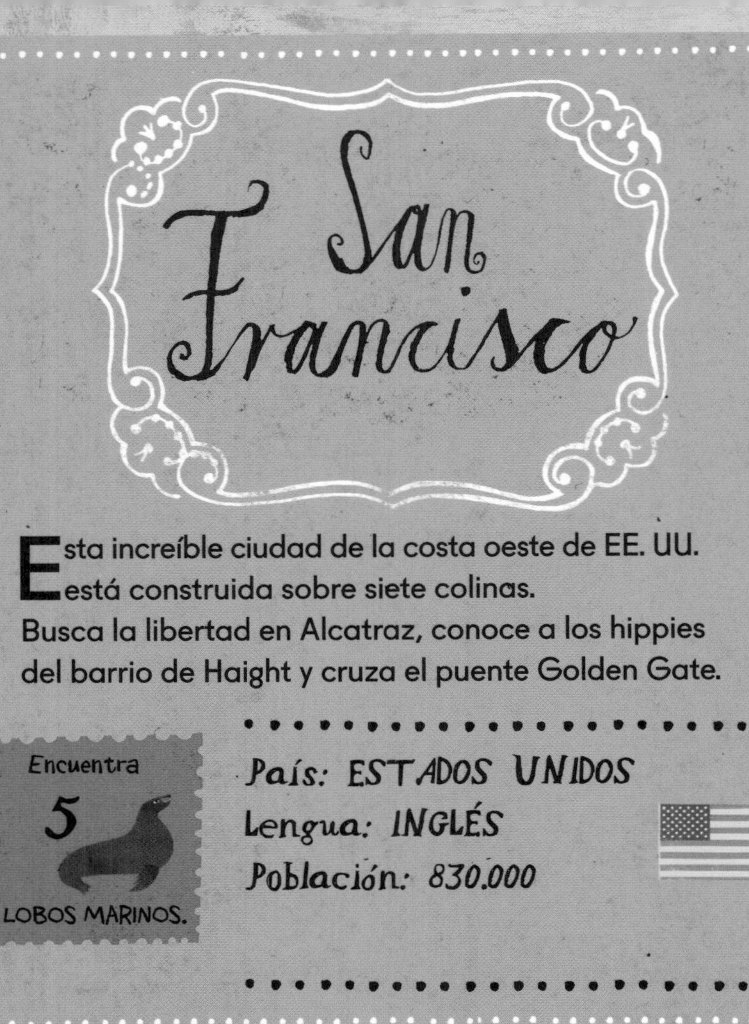

San Francisco

Esta increíble ciudad de la costa oeste de EE. UU. está construida sobre siete colinas.
Busca la libertad en Alcatraz, conoce a los hippies del barrio de Haight y cruza el puente Golden Gate.

Encuentra 5 LOBOS MARINOS.

País: ESTADOS UNIDOS
Lengua: INGLÉS
Población: 830.000

Corretea por el agreste oasis urbano del PARQUE GOLDEN GATE.
Saca tu lado más creativo en el MUSEO BAY AREA DISCOVERY.
Cruza el gran PUENTE GOLDEN GATE.
Contempla las magníficas vistas desde CRISSY FIELD, la puerta de entrada al PARQUE PRESIDIO.
Hello
ESTRECHO GOLDEN GATE
Disfruta de la franja de arena de la PLAYA BAKER.
Pasea por las ventosas costas del PARQUE LANDS END.
Entra en el oasis del PARQUE GOLDEN GATE.
Sigue el camino de piedras hasta el JARDÍN DE TÉ JAPONÉS.
Conoce a Claude, el cocodrilo albino, en la ACADEMIA DE CIENCIAS DE CALIFORNIA.
Maravíllate con las impresionantes magnolias primaverales en el JARDÍN BOTÁNICO DE SAN FRANCISCO.
Entierra tesoros en la playa OCEAN BEACH.
Hazte amigo de las jirafas en el recinto abierto del ZOO DE SAN FRANCISCO.

Prepara un pícnic
y coge el ferry
hasta la ISLA
DE LOS ÁNGELES.

Visita la famosa ISLA
y PRISIÓN de ALCATRAZ.

Súbete a los barcos
históricos del PARQUE
HISTÓRICO NACIONAL
DE LA MARINA.

Alquila una BICI
y recorre
el paseo marítimo.

FISHERMAN'S WHARF
SAN FRANCISCO

Observa
a los lobos marinos
en el MUELLE 39.

Curiosea en el EXPLORATORIUM,
el museo interactivo de ciencias,
artes y percepción humana.

Date una vuelta
por el PALACIO
DE BELLAS ARTES.

Baja por la sinuosa
LOMBARD STREET.

Descubre quiénes
fueron ALLEN GINSBERG
y JACK KEROUAC,
dos referentes
de la generación BEAT.

Presta atención al sonido
de los cables
en el MUSEO
DEL TRANVÍA.

Explora los JARDINES
DE YERBA BUENA
en el centro cultural
de la ciudad.

Ponte manos
a la obra en el MUSEO
DE LA CREATIVIDAD
INFANTIL.

Visita las casas
del parque
ALAMO SQUARE,
más conocidas como
las damas pintadas.

Móntate en el tranvía
de la ruta Powell-Hyde
desde POWELL STREET
hasta FISHERMAN'S WHARF.

Escápate
del bullicio urbano
en la GRANJA
HAYES VALLEY.

Visita a los hippies
del barrio
HAIGHT-ASHBURY.

Relájate
tomando
un helado
en el barrio
de MISIÓN
DOLORES.

HOla
Admira la extraordinaria
Piedra del Sol azteca en el MUSEO
NACIONAL DE ANTROPOLOGÍA.
Visita el majestuoso
MONUMENTO
A LA REVOLUCIÓN.
Descubre
la historia mexicana
en el mural
de 15 metros
de DIEGO RIVERA.
Aprende sobre
el Día de los Muertos
en el MUSEO
DE ARTE POPULAR.
Conoce al panda rojo
en el ZOOLÓGICO
DE CHAPULTEPEC.
Relájate en el BOSQUE
DE CHAPULTEPEC,
uno de los parques
más grandes de la ciudad.
Excava y encuentra
lombrices en el PAPALOTE,
un museo interactivo infantil.
Alquila un par de patines
en el PARQUE MÉXICO.
¡Date un festín
de FAJITAS!
Enamórate
de la artista
mexicana
FRIDA KAHLO.
Visita el maravilloso
MUSEO FRIDA KAHLO.
MUSEO
FRIDA KAHLO
Escápate del bullicio
en el fantástico parque
VIVEROS DE COYOACÁN.
Recorre el PASEO DE LAS ESCULTURAS
de la UNIVERSIDAD AUTÓNOMA DE MÉXICO.
Pide un plato
de comida picante
en el MERCADO
DE COYOACÁN.
Explora los jardines flotantes
de XOCHIMILCO a bordo
de una colorida canoa
llamada trajinera.
Pasa una tarde muy científica
en el MUSEO DE LAS CIENCIAS.

Juega al veo-veo en la PLAZA DE LAS TRES CULTURAS.
Enciende una vela en la sagrada CATEDRAL METROPOLITANA.
Organiza un viaje a la antigua ciudad de TEOTIHUACAN.
Cálzate tus zapatos de mariachi la PLAZA GARIBALDI.
Asiste a una actuación del Ballet Folclórico de México en el PALACIO DE BELLAS ARTES.
Visita el gigantesco edificio del PALACIO NACIONAL.
Híncale el diente al delicioso MAÍZ MEXICANO.
Demuestra tus habilidades en el SKATEPARK.
Presta atención a las miles de MARIPOSAS MONARCAS migratorias.
Muévete al ritmo de la música folclórica de los GRUPOS DE MARIACHIS.
Prueba un sabroso MAGUEY, un tipo de cactus.
CIUDAD DE MÉXICO
La antigua capital del Imperio azteca y actual capital de México es muy famosa por su colorida cultura. Sus calles son un hervidero de deliciosos platos, museos, murales... ¡y música! Disfruta de los grupos de mariachis y no te pierdas el Museo de Frida Kahlo.
Encuentra 5 CALAVERAS AZULES.
País: MÉXICO
Lengua: ESPAÑOL
Población: 9 MILLONES

RÍO DE JANEIRO
Esta vibrante ciudad rodeada de playas, montañas y selvas tropicales celebra cada año el mayor festival del mundo: el Carnaval de Río de Janeiro. ¡Aquí encontrarás diversión durante todo el año!
Encuentra 5 AVES TANGARA.
País: BRASIL
Lengua: PORTUGUÉS
Población: 6,3 MILLONES
Come junto al lago y los jardines de la QUINTA DA BOA VISTA.
Apúntate a un SAFARI en jeep por la selva.
Oi
Coge el tren de cremallera hasta la cima del CERRO DEL CORCOVADO.
Presta atención a los OCELOTES.
Acércate a una cascada en el PARQUE NACIONAL DE TIJUCA.
Da una vuelta por el PARQUE público ENRIQUE LAGE.
Descubre un bosque lleno de plantas ADORMIDERAS.
Localiza TUCANES en las copas de los árboles.
Da una vuelta en bici al LAGO RODRIGO DE FREITAS.
Mira las estrellas en el PLANETARIO DE RÍO.
Muévete al ritmo de la samba en el espectáculo PLATAFORMA SHOW.

Hazte una foto en el famoso TRANVÍA SANTA TERESA.
Aprende sobre el carnaval en el MUSEO DE SAMBA.
Visita la CATEDRAL METROPOLITANA, inspirada en la arquitectura maya.
Pásate por el MUSEO NACIONAL DE HISTORIA.
Déjate llevar en el TEATRO de la FUNDACIÓN PROGRESO.
Observa a los TRAGAFUEGOS en el paseo marítimo.
Sube hasta los pies del CRISTO REDENTOR.
Prueba la LECHE DE COCO.
Sube al monte PAN DE AZÚCAR en teleférico.
Saca tu lado creativo con la pintura corporal del MUSEO DEL INDIO.
Atraviesa el PARQUE DE CATACUMBA en una tirolina.
Haz un concurso de castillos de arena en la PLAYA COPACABANA.
Deambula por la AVENIDA ATLÂNTICA.
Tómate un día de relax en la PLAYA DE IPANEMA.
Surfea en la punta sur de la PLAYA DE COPACABANA.
OCÉANO ATLÁNTICO SUR

Diviértete en las piscinas
del PARQUE NORTE.
Gana
un partido
en el TENIS
CLUB ARGENTINO.
Alimenta a los PECES KOI en los estanques
ornamentales del JARDÍN JAPONÉS.
Recorre
la ciudad
en un CARRO
DE CABALLOS,
también llamado MATEO.
Conoce
a las llamas
en el JARDÍN
ZOOLÓGICO.
Encuentra el TEMPLO BUDISTA
en el JARDÍN JAPONÉS.
MUSEO NACIONAL
DE BELLAS ARTES
SUBMARINO
Pide un SUBMARINO
y prepara tu propio
chocolate caliente.
Prueba
los famosos
HELADOS ARGENTINOS.
Recorre las tumbas
y los pintorescos mausoleos
del famoso CEMENTERIO
DE LA RECOLETA.
Explora el MUSEO
DE LOS NIÑOS.
Apúntate
a una visita guiada
sobre dinosaurios en el MUSEO
DE CIENCIAS NATURALES
BERNARDINO RIVADAVIA.
Hola
Fíjate en los árboles por si ves
algún PARULA PITIAYUMÍ.
Relájate junto al lago
en el PARQUE CENTENARIO.
Anímate
a bailar
un TANGO.
Encuentra
5 LLAMAS.

BUENOS AIRES

Buenos Aires, hogar del escritor Jorge Luis Borges y del futbolista Diego Armando Maradona, está compuesta por 48 barrios donde se mezcla la arquitectura europea con la simpatía de sus habitantes, los «porteños». Disfruta de su cultura cafetera, de los partidos de polo y del precioso baile del tango.

País: ARGENTINA
Lengua: ESPAÑOL
Población: 3 MILLONES

RÍO DE LA PLATA
Híncale el diente
a un BIFE DE CARNE,
uno de los mejores
del mundo.
Juega al escondite
en el PARQUE THAYS.
Explora la ciudad
en BICI.
Por la noche, acércate
a ver el OBELISCO iluminado.
Visita
sin falta
la CATEDRAL
METROPOLITANA.
Cruza
el PUENTE
DE LA MUJER.
Escápate,
a la RESERVA
ECOLÓGICA
de la COSTANERA
SUR.
Date una vuelta por
el PALACIO DEL CONGRESO
DE LA NACIÓN ARGENTINA,
sede del congreso
de los diputados.
No te pierdas
un espectáculo de títeres
en el MUSEO ARGENTINO
DEL TÍTERE.
Explora los mercadillos
de la FERIA DE SAN TELMO
el fin de semana.
Ve a ver un partido
en la BOMBONERA,
el estadio de fútbol
del Boca Juniors.

OCÉANO ATLÁNTICO SUR
Vive una experiencia deportiva en el MUSEO DE RUGBY DE LOS SPRINGBOK.
Avista las espectaculares ballenas en la BAHÍA BANTRY.
Ve a ver un partido de fútbol al ESTADIO GREEN POINT.
Contempla las espectaculares vistas desde la COLINA DE LA SEÑAL.
Prueba el KOEKSISTER, un tipo de donut recubierto de sirope.
Prueba el BREDIE, un estofado picante.
Visita el teatro celestial del PLANETARIO IZIKO.
Recorre la BAHÍA CAMPS en kayak.
Maravíllate con las obras de la GALERÍA NACIONAL SUDAFRICANA IZIKO.
Conoce a los babuinos en la PUNTA DEL CABO.
Observa los barcos pesqueros en el PUERTO de la BAHÍA HOUT.
Sube en teleférico a la MONTAÑA DE LA MESA.

Vete de compras a las tiendas del V&A WATERFRONT.
Zarpa a bordo del JOLLY ROGER en busca de aventuras de piratas.
Admira los monumentos de la plaza NOBEL SQUARE.
Explora un mundo submarino en el ACUARIO TWO OCEANS.
Visita la plaza GRAND PARADE.
Mira cómo atracan los barcos en el PUERTO de CIUDAD DEL CABO.
Sawubona
Vive las luces y la música de la plaza GREENMARKET SQUARE.
Busca la placa dedicada a Nelson Mandela en el AYUNTAMIENTO de la ciudad.
Visita la CATEDRAL DE SAN JORGE, la más antigua de África del Sur.
Satisface tus antojos en el mercadillo DIE PLATTELAND.
Aprende sobre la historia de la esclavitud en el PABELLÓN DE LOS ESCLAVOS del MUSEO IZIKO.
Haz senderismo en la MONTAÑA DE LA MESA.

CIUDAD DEL CABO

Esta ciudad costera es uno de los destinos más populares de Sudáfrica por sus hermosas playas y magníficos paisajes. Rebosa de vida y... ¡es el lugar perfecto para emprender una aventura! Sube a la montaña de la Mesa, avista increíbles ballenas y aprende sobre la vida del gran Nelson Mandela.

Encuentra 5 CEBRAS.

País: SUDÁFRICA
Lenguas: AFRIKÁANS, XHOSA, INGLÉS
Población: 3,8 MILLONES

ESTUARIO
DEL RÍO
ZHUJIANG
您好
Encuentra
los DUK LING,
unos tradicionales
barcos de vela rojos.
Coge
el teleférico
Ngong Ping
hasta
el MONASTERIO
PO LIN.
Sube hasta los pies del GRAN BUDA
en la ISLA LANTAU.
Date un baño
en la PLAYA TUNG WAN.
Acude al festival
de los BOLLOS
DE CHEUNG CHAU
en mayo.

Hong Kong

Hong Kong, una ciudad a la vez antigua y moderna, es todo un placer para los sentidos por su gran variedad de luces, sonidos y aromas. Piérdete en sus asombrosas torres, pide un deseo a los árboles de los deseos de Lam Tsuen y lánzate a la aventura en el Sendero del Dragón.

Encuentra 5 DRAGONES DE LA SUERTE.

País: CHINA

Lenguas: CANTONÉS, INGLÉS

Población: 7 MILLONES

Pide que tus sueños
se hagan realidad
a los ÁRBOLES
DE LOS DESEOS
de LAM TSUEN.
Descubre el TEMPLO
SIK SIK YUEN WONG TAI SIN,
hogar de tres religiones.
Hazte una idea
del pasado
en el MUSEO
DE HISTORIA
DE HONG KONG.
Observa
los pesqueros
que zarpan
del PUERTO
DE HONG
KONG.
Súbete a uno
de los famosos
cruceros verdiblancos
de la empresa
STAR FERRY.
No te pierdas
las espectaculares luces
del PASEO TSIM SHA TSUI.
Visita el MUSEO
DEL TÉ de la
FLAGSTAFF HOUSE,
la residencia colonial
más antigua
de Hong Kong.
Descube el TEMPLO
MAN MO, un oasis
de tranquilidad
en una jungla de cemento.
Sube al último piso
de la TORRE
DEL BANCO DE CHINA.
Desayuna DIM SUM,
unos rollitos
o bollos rellenos
cocinados al vapor.
Sube en tranvía
hasta el PICO VICTORIA,
el punto más alto
de la isla de Hong Kong.
Organiza una caminata
por el SENDERO DEL DRAGÓN,
una de las mejores rutas
de senderismo urbano de Asia.
Haz un pícnic
junto a la cascada
de la bahía
de POK FU LAM.
Visita el parque
de atracciones
OCEAN PARK.
Apúntate a una excursión
para ver DELFINES ROSADOS.
Visita el pueblo pesquero
de la ISLA LAMMA.

Acércate a una CASA DE TÉ
y prueba los WAGASHI,
un dulce tradicional japonés.
今日は
Piérdete en la vieja ciudad
de YANAKA.
Siéntete como
una estrella
cantando
en el KARAOKE.
Conoce a los pandas
en el ZOO DE UENO.
Disfruta de la naturaleza
según la tradición HANAMI
haciendo un pícnic
bajo los cerezos en flor.
Recorre la ciudad
en el autobús turístico
HATO BUS.
No te pierdas
el PALACIO IMPERIAL
y sus JARDINES.
Asiste a un espectáculo de MARIONETAS
BUNRAKU en el TEATRO NACIONAL.
Busca un pez monstruo
en TSUJIKI, el mercado
de pescado más grande
del mundo.
Visita el mágico
SANTUARIO MEIJI.
Coge algo para cenar...
en una MÁQUINA
EXPENDEDORA.
¥500
¥500
¥500
¥500
Tómate algo y haz amigos
felinos en un CAFÉ DE GATOS.
Por la noche,
acércate a ver
la TORRE DE TOKIO
iluminada.
Relájate
en el PARQUE
PRÍNCIPE.
ASIMO
Camina debajo del agua
en el ACUARIO
DE SHINAGAWA.

TOKIO
En Tokio, la capital de Japón, coexisten tradiciones milenarias, modernas luces e impresionantes rascacielos. Encuentra tu fortuna en el templo Sensō-ji, conoce a un auténtico luchador de sumo y busca un pez monstruo en el mercado de pescado más grande del mundo.
Encuentra 5 TETERAS.
País: JAPÓN
Lengua: JAPONÉS
Población: 9 MILLONES
Visita el templo Sensō-ji en ASAKUSA.
Sube hasta la cima del TOKIO SKYTREE, una de las torres más altas del mundo.
Asiste a una lucha de sumo en el SALÓN DEL SUMO de RYOGOKU KOKUGIKAN.
Ármate con unos palillos y prueba el SUSHI.
Contempla el MONTE FUJI desde lo alto de la NORIA DEL DIAMANTE Y LA FLOR.
PUERTO DE TOKIO
Vete de excursión al PARQUE DE VIDA MARINA DE TOKIO.
Conoce al robot humanoide ASIMO en el MIRAIKAN, el MUSEO NACIONAL DE CIENCIA EMERGENTE E INNOVACIÓN.

Visita las casas coreanas
al ESTILO HANOK en BUKCHON.
Retrocede
en el tiempo
en el MUSEO
NACIONAL
DEL FOLCLORE.
Averigua los orígenes del viejo PALACIO GYEONGBOKGUNG.
Visita
el templo
budista
JOGYESA.
Entérate de la programación
del CENTRO GLOBAL
DE CULTURA Y TURISMO.
Atraviesa la PUERTA NAMDAEMUN,
una de las ocho puertas de la MURALLA de Seúl.
Sube en teleférico
al MONTE NAMSAN.
No te pierdas una demostración
de TAEKKYEON, un arte marcial
tradicional coreano.
Móntate en el AUTOBÚS
TURÍSTICO de la ciudad.
Observa los rascacielos
en DONGJA-DONG.
TORRE N DE SEÚL
En primavera,
celebra la floración
de los cerezos en la calle
YEOUISEO-RO.
Saborea
un rico plato
de verduras
llamado KIMCHI.
Visita el MONUMENTO
CONMEMORATIVO DE LA GUERRA
DE COREA, lleno de recuerdos
y equipamiento militar.
Disfruta de las actuaciones callejeras
del FESTIVAL DE LAS FLORES
DE PRIMAVERA de YEOUIDO.
RÍO HAN

SEÚL

La capital de Corea del Sur, cuyo nombre oficial es «Ciudad Especial de Seúl», es famosa por su moderna tecnología y su rápido crecimiento. Visita un templo o una casa de té para encontrar un poco de paz y tranquilidad, o piérdete por sus animadas calles y mercados si buscas acción.

Encuentra 5 ABANICOS.

País: COREA DEL SUR
Lengua: COREANO
Población: 10 MILLONES

Visita el PALACIO DE CHANGDEOKGUNG, uno de los cinco grandes palacios de Seúl.
Descubre el jardín secreto del PALACIO DE CHANGDEOKGUNG.
Atraviesa el ARROYO CHEONGGYECHEON saltando de piedra en piedra.
Prueba el pastel de arroz y calabaza dulce en una tradicional CASA DE TÉ coreana.
Alimenta a los ciervos en el BOSQUE DE SEÚL.
Explora el gigantesco PARQUE NAMSAN.
Pásate por el MUSEO INFANTIL DE SEÚL.
Corretea por el PARQUE DE LOS CIUDADANOS del río Han.
안녕하세요.
Date un festín de BIBIMBAP, un plato de verduras, carne y arroz.
Disfruta de un espectáculo de baile en el CENTRO NACIONAL DE GUGAK.
Acércate a ver los miles de farolillos del TEMPLO BONGEUNSA.
No te pierdas las fuentes danzantes del CENTRO DE ARTES DE SEÚL.
Camina junto a los dinosaurios en el MUSEO NACIONAL DE CIENCIA DE GWACHEON.

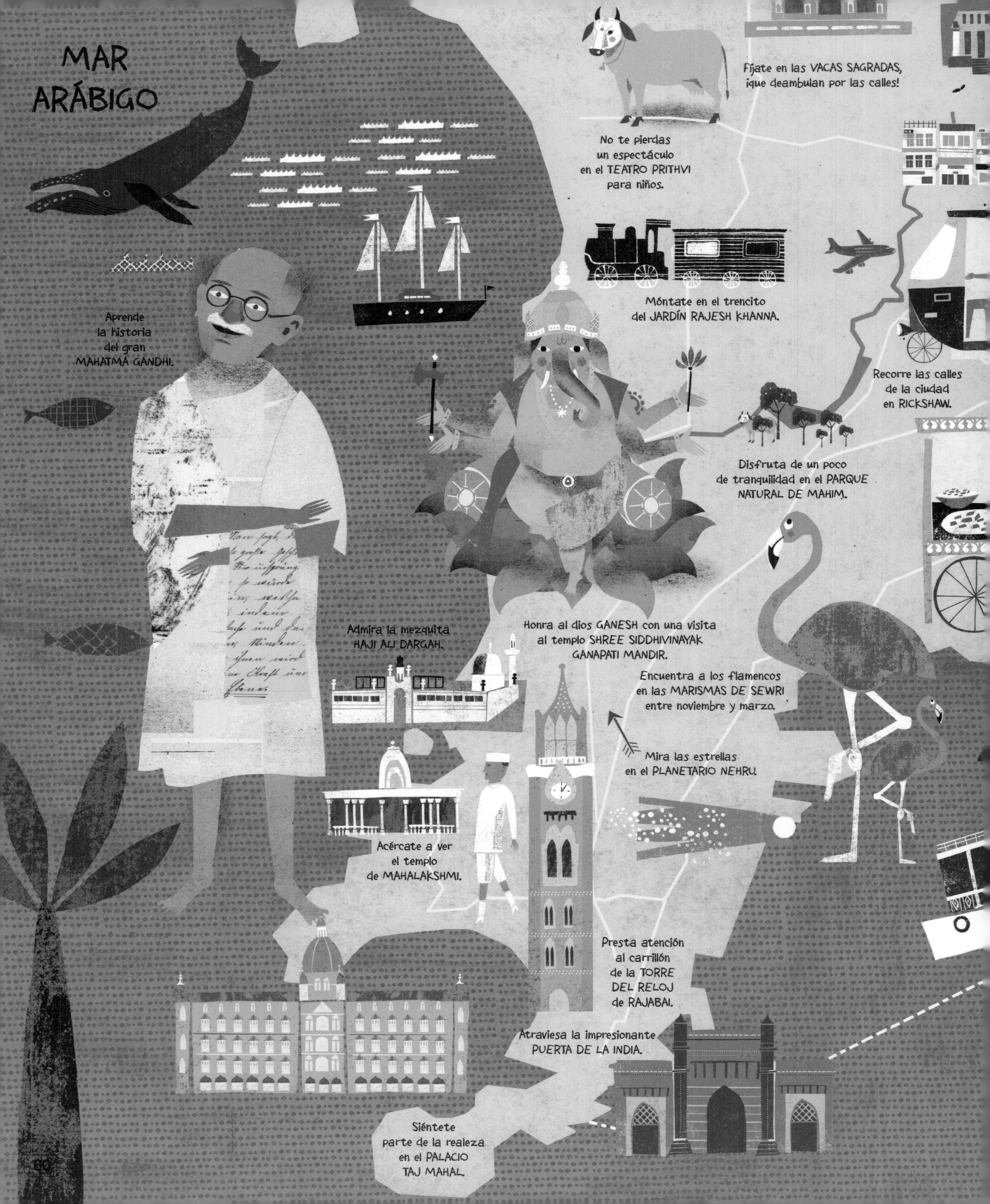
MAR ARÁBIGO
Fíjate en las VACAS SAGRADAS, ¡que deambulan por las calles!
No te pierdas un espectáculo en el TEATRO PRITHVI para niños.
Móntate en el trencito del JARDÍN RAJESH KHANNA.
Aprende la historia del gran MAHATMA GANDHI.
Recorre las calles de la ciudad en RICKSHAW.
Disfruta de un poco de tranquilidad en el PARQUE NATURAL DE MAHIM.
Admira la mezquita HAJI ALI DARGAH.
Honra al dios GANESH con una visita al templo SHREE SIDDHIVINAYAK GANAPATI MANDIR.
Encuentra a los flamencos en las MARISMAS DE SEWRI entre noviembre y marzo.
Mira las estrellas en el PLANETARIO NEHRU.
Acércate a ver el templo de MAHALAKSHMI.
Presta atención al carrillón de la TORRE DEL RELOJ de RAJABAI.
Atraviesa la impresionante PUERTA DE LA INDIA.
Siéntete parte de la realeza en el PALACIO TAJ MAHAL.

BOMBAY
En esta trepidante metrópoli vive más gente que en cualquier otra ciudad de la India. Conocida por su fantástica cocina y su colorida cultura, ¡esconde una sorpresa en cada esquina!
Encuentra 5 VACAS SAGRADAS.
País: INDIA
Lenguas: HINDI, GUJARATI, MARATÍ
Población: 12 MILLONES
Prueba las empanadillas SAMOSAS en el PARQUE NACIONAL SANJAY GANDHI.
Explora las impresionantes CUEVAS DE KANHERI.
En otoño, celebra el DIWALI, el festival hindú de las luces.
Muévete al ritmo de una PELÍCULA DE BOLLYWOOD.
Prueba el auténtico POLLO TANDOORI en un puesto ambulante de comida.
हॅलो
Explora los templos de roca en la ISLA ELEFANTA.
Toma el FERRY hasta la Isla Elefanta.

RÍO PARRAMATTA
Pasa un día redondo en la noria del LUNA PARK.
LUNA PARK
PUENTE DEL PUERTO DE SYDNEY
Haz un pícnic en la COLINA DEL OBSERVATORIO.
Aprende acrobacias en el CENTRO ACUÁTICO DEL PARQUE OLÍMPICO DE SYDNEY.
Observa los barco en el PUERTO DE SYDNEY.
Vive una experiencia fantasmagórica en un TOUR SOBRE FANTASMAS.
Diviértete en el parque de aventuras URBAN JUNGLE.
Disfruta de las vistas desde el mirador de la TORRE DE SYDNEY.
Admira las vistas desde el PARQUE WATERFRONT.
Juega con el ajedre gigante en JARDÍNES NAG
Saluda a los koalas del WILD LIFE, el ZOO DE SYDNEY.
Vete de pesca al MERCADO DE PESCADO DE SYDNEY.
Vete de compras al EDIFICIO QUEEN VICTORIA.
Únete al debate en el AYUNTAMIENTO DE SYDNEY.
Descubre los animales e insectos más mortíferos en el MUSEO AUSTRALIANO.
Despierta tu imaginación en el MUSEO POWERHOUSE.
Conoce a una momia en el MUSEO NICHOLSON.

Aprende a surfear en la playa MAINLY BEACH.
Avista ballenas desde el PASEO DE FAIRFAX.
Admira los animales del ZOO DE TARONGA.
Asiste a un concierto en la ÓPERA DE SYDNEY.
Zarpa en busca de la ISLA TIBURÓN.
G'day
Siéntate en la SILLA DE LA SEÑORA MACQUARIE en el Puerto de Sydney.
Ve una peli en el CINE ST. GEORGE AL AIRE LIBRE.
Visita el CENTRO TROPICAL DE SYDNEY.
Anótate seis carreras de golpe en el CAMPO DE CRÍQUET DE SYDNEY.
Descubre un paraíso tropical en el REAL JARDÍN BOTÁNICO.
Admira la ciudad desde un GLOBO AEROSTÁTICO.
Vive una aventura inolvidable en el PARQUE CENTENNIAL.

SYDNEY

Sydney es una ciudad apasionante y multicultural que atrae a personas de todo el mundo. Aprende a surfear en sus magníficas playas, avista espectaculares ballenas y conoce algunos de sus animales más mortíferos.

Encuentra 5 KOALAS.

País: AUSTRALIA
Lengua: INGLÉS
Población: 4,2 MILLONES

A Tibor y Arthur

Edición ejecutiva: Gabriel Brandariz
Coordinación editorial: Patrycja Jurkowska
Traducción al castellano: Victoria Porro

Título original: *City Atlas*
Textos: Georgia Cherry
Ilustraciones: Martin Haake
Diseño: Andrew Watson

Publicado por primera vez en Reino Unido
por Wide Eyed Editions, un sello editorial de Aurum Press
(74-77 White Lion Street, Londres N1 9PF).

Impresores, 2 - Parque Empresarial Prado del Espino
28660 Boadilla del Monte (Madrid)
www.grupo-sm.com

ATENCIÓN AL CLIENTE
Tel.: 902 121 323 / 912 080 403
e-mail: clientes@grupo-sm.com

ISBN: 978-84-675-8359-5
Depósito legal: M-22334-2015
Impreso en China / *Printed in China*